MADAME ROONEY (Maddy) *Une vieille dame.*

CHRISTY .... *Un charretier.*

MONSIEUR TYLER ...... *Un coulissier en retraite.*

MONSIEUR SLOCUM ...... *Secrétaire au champ de courses.*

TOMMY .... *Un porteur.*

MONSIEUR BARRELL .... *Un chef de gare.*

MADEMOISELLE FITT .... *Une demoiselle entre deux âges.*

UNE VOIX DE FEMME ....

DOLLY .... *Une petite fille.*

MONSIEUR ROONEY (Dan) *Le mari de Madame Rooney.*

JERRY .... *Un petit garçon.*

Bruits de la campagne. Mouton, oiseau, vache, coq, séparément, puis ensemble.

Silence.

Madame Rooney avance sur la route, se rendant à la gare. Bruit de ses pas traînants.

D'une maison en bordure de la route vient une faible musique. « La jeune fille et la Mort ». Les pas ralentissent, s'arrêtent.

MADAME ROONEY. — Pauvre femme ! Toute seule dans cette vieille baraque en ruine. (*Musique plus fort, dans le silence. Les pas reprennent. La musique meurt. Mme Rooney murmure la mélodie. Son murmure meurt. Bruit d'une charrette qui arrive, s'arrête. Les pas ralentissent, s'arrêtent.*) C'est vous, Christy ?

CHRISTY. — C'est lui, Ma'ame.

MADAME ROONEY. — Il me semblait bien reconnaître le bardot. Comment va votre pauvre femme ?

CHRISTY. — Pas mieux, Ma'ame.

MADAME ROONEY. — Votre sœur alors ?

CHRISTY. — Pas pire, Ma'ame.

Silence.

MADAME ROONEY. — Pourquoi vous arrêtez-vous ? (*Un temps.*) Mais pourquoi m'arrêté-je ?

Silence.

CHRISTY. — Beau temps pour les courses, Ma'ame.

MADAME ROONEY. — Sans doute, sans doute. (*Un temps.*) Mais se maintiendra-t-il ? (*Un temps. Avec émotion.*) Se maintiendra-t-il ?

Silence.

CHRISTY. — Vous n'auriez pas besoin des fois —

MADAME ROONEY. — Chut ! (*Un temps.*) Le rapide déjà ? C'est pas Dieu possible !

Silence. Le bardot hennit. Silence.

CHRISTY. — Rapide mes fesses.

MADAME ROONEY. — Oh Dieu soit loué ! J'aurais juré que c'était lui, ce bruit de tonnerre au loin. (*Un temps.*) Alors, comme ça, ça hennit, les bardots. Dans le fond, pourquoi pas ?

CHRISTY. — Vous n'auriez pas besoin des fois d'un petit tombereau de fumier ?

MADAME ROONEY. — Du fumier ? Quel genre de fumier ?

CHRISTY. — Du fumier de cochon.

MADAME ROONEY. — De cochon... Au moins vous êtes franc. (*Un temps.*) J'en parlerai à mon mari. (*Un temps.*) Christy.

CHRISTY. — Oui Ma'ame.

MADAME ROONEY. — Vous ne trouvez pas ma façon de parler un peu... bizarre ? (*Un temps.*) Je ne parle pas de la voix. (*Un temps.*) Non, je parle des mots. (*Un temps. Presqu'à elle-même.*) Je n'emploie que les mots les plus simples, j'espère, et cependant quelquefois je trouve ma façon de parler très... bizarre. (*Un temps.*) Miséricorde ! Quel est ce bruit ?

CHRISTY. — C'est rien, Ma'ame. Il pète le feu aujourd'hui.

Silence.

MADAME ROONEY. — Du fumier? Qu'est-ce qu'on en ferait à notre âge ? (*Un temps.*) Pourquoi allez-vous à pied ? Pourquoi ne pas grimper là-haut sur votre fumier et vous laisser voiturer ? Vous êtes sujet au vertige ?

Silence.

CHRISTY (*au bardot*). — Hue, saleté ! (*Un temps. Plus fort.*) Hue, saleté de bourrique !

Silence.

MADAME ROONEY. — Il ne bouge pas d'un poil. (*Un temps.*) Moi aussi je ferais bien de me trotter, si je ne veux pas être en retard à la gare. (*Un temps.*) Il y a un instant il piaffait, il hennissait, et le voilà qui refuse d'avancer. Flanquez-lui donc un vache coup sur les fesses. (*Coup de bâton. Un temps.*) Plus fort ! (*Coup de bâton. Un temps.*) Eh ben ! Si on en faisait autant pour moi, ça ne traînerait pas. (*Un temps.*) Comme il me fixe, de ses grands yeux qui pleurent sous la morsure des taons ! Si je poursuivais mon chemin, qu'il ne me voie plus... (*Coup de bâton.*) Non ! Assez ! Prenez-le par la bride et tournez-lui la tête, qu'il ne me voie plus ! Oh c'est affreux ! (*Elle repart. Pas traînants.*) Qu'est-ce que j'ai encore fait au bon Dieu ? (*Pas traînants.*) Il y a si longtemps... Avant le temps... Non ! (*Pas traînants. Elle cite.*) « Avant le temps au lac qui erre, Par le... (*elle cherche, ne retrouve pas*)... tamtamme de la nuit. » (*Elle s'arrête.*) Comment continuer, je ne peux pas. Ah, me répandre par terre comme une bouse et ne plus bouger. Une grosse bouse couverte de poussière et de mouches, on viendrait m'enlever à la pelle. (*Un temps.*) Mon Dieu, encore ce rapide qui arrive, qu'est-ce que je vais devenir ? (*Les pas traînants reprennent.*) Oui, oui, je sais, je ne suis qu'une vieille folle, pourrie de chagrin et de remords et de bonnes manières et de prières et de graisse et de douleurs et de stérilité. (*Un temps. Voix brisée.*) Minnie ! Petite Minnie ! (*Un temps.*) De l'amour, c'est tout ce que je demandais, un peu d'amour, tous les jours, deux fois par jour, cinquante ans d'amour deux fois par jour, à Paris, dans les bras d'un boucher chevalin, quelle femme normale a besoin d'affection ? Un bécot le matin sur la mâchoire près de l'oreille, et un autre le soir, bec bec, jusqu'à ce qu'un bouc vous pousse. Ah joli cytise, te revoilà !

Pas traînants. Timbre de bicyclette. C'est le vieux M. Tyler qui arrive derrière elle, se rendant à la gare. Grincement de freins. Il ralentit et roule lentement à la hauteur de Madame Rooney.

MONSIEUR TYLER. — Madame Rooney ! Vous permettez que je garde ma casquette, si j'y touche je ramasse une pelle. Quel temps exquis pour les courses.

MADAME ROONEY. — Oh monsieur Tyler vous m'avez fait mourir de peur ! Me tomber dessus comme ça sans crier gare, comme un Sioux ! Oh !

MONSIEUR TYLER (*badin*). — Ah pardon, j'ai fait marcher mon timbre, dring, dring, dès que je vous ai repérée, n'allez pas me dire le contraire.

MADAME ROONEY. — Votre timbre et vous, monsieur Tyler, ça fait deux. Comment va votre pauvre fille ?

MONSIEUR TYLER. — Pas mal, pas mal. Ils lui ont tout enlevé, vous savez, tout le... tremblement. Dans l'eau, mes petits-enfants.

Pas traînants.

MADAME ROONEY. — Seigneur, comme vous zigzaguez ! Descendez, je vous en supplie, ou alors filez en avant.

MONSIEUR TYLER. — Et si je posais légèrement ma main sur votre épaule, madame Rooney, qu'en diriez-vous ? (*Un temps.*) Oui ?

MADAME ROONEY. — Non, monsieur Rooney, Tyler je veux dire, j'en ai ma claque des vieilles mains légères sur mon épaule et autres endroits insensés, toujours à côté, ma claque. Seigneur, voilà la camionnette de Connolly ! (*Elle s'arrête. Bruit de la camionnette qui se rapproche, passe à grand fracas et s'éloigne.*) Ça va, monsieur Tyler ? (*Un temps.*) Où est-il ? (*Un temps.*) Ah vous voilà ! (*Les pas traînants reprennent.*) Il s'en est fallu d'un cheveu.

MONSIEUR TYLER. — J'ai atterri à point nommé.

MADAME ROONEY. — Sortir, de nos jours c'est le suicide assuré. Mais rester chez soi, monsieur Tyler, rester chez soi, qu'est-ce que c'est ? S'éteindre à petit feu. Nous voilà blancs de poussière de la tête aux pieds. Plaît-il ?

MONSIEUR TYLER. — Rien, madame, rien. Je ne faisais que maudire, doucement, Dieu et les hommes, tout doucement, et le samedi après-midi où, par un temps de chien, cet enfant mâle fut conçu. Mon pneu arrière est à plat. Je l'ai gonflé à bloc avant de partir et me voilà sur la jante.

MADAME ROONEY. — Pauvre !

MONSIEUR TYLER. — Si c'était l'avant,

passe encore. Mais l'arrière. L'arrière ! La chaîne ! L'huile ! La graisse ! L'essieu ! Le dérailleur ! Non ! C'en est trop !

Pas traînants.

MADAME ROONEY. — Sommes-nous très en retard, monsieur Tyler ? Je n'ai pas le courage de regarder ma montre.

MONSIEUR TYLER (*amer*). — En retard ! Tout allait bien, je roulais comme un ange, et j'étais déjà en retard. Nous sommes donc maintenant doublement en retard, triplement, quadruplement en retard. Que ne vous ai-je doublée, sans l'ouvrir !

Pas traînants.

MADAME ROONEY. — Vous allez au-devant de qui, monsieur Tyler ?

MONSIEUR TYLER. — Hardy. (*Un temps.*) Nous faisions de la montagne ensemble. Je lui ai sauvé la vie, une fois. Moi, je ne l'ai pas oublié.

Pas traînants. Ils s'arrêtent.

MADAME ROONEY. — Arrêtons-nous un

instant, le temps que cette saleté de poussière retombe sur cette saleté de terre.

Silence. Bruits de la campagne.

MONSIEUR TYLER. — Quel ciel ! Quelle lumière ! Ah madame, malgré tout, quelle bénédiction d'être vivant par un temps pareil, et sorti de l'hôpital.

MADAME ROONEY. — Vivant ?

MONSIEUR TYLER. — Eh bien... disons à moitié.

MADAME ROONEY. — Parlez pour vous, monsieur Tyler, moi je n'en suis pas là, loin de là. (*Un temps.*) Mais qu'est-ce qu'on fait plantés là ? Cette poussière ne retombera pas de notre vivant. Et pourquoi retomberait-elle ? Pour se faire renvoyer tourbillonner au ciel par le premier bolide qui passe ?

MONSIEUR TYLER. — Alors on y va ?

MADAME ROONEY. — Non.

MONSIEUR TYLER. — Voyons, madame —

MADAME ROONEY. — Allez, monsieur, passez votre chemin et laissez-moi là, à écouter roucouler les palombes. (*Roucoulement.*) Si vous voyez mon pauvre aveugle de Dan, dites-lui que j'allais à sa rencontre quand tout m'est retombé dessus, comme une cataracte. Dites-lui, Votre pauvre femme vous fait dire que tout lui est retombé dessus, comme une avalanche et... (*la voix se brise*)... qu'elle est rentrée... à la maison... tout simplement... à la maison...

MONSIEUR TYLER. — Voyons, madame, courage, venez, le rapide n'est pas encore passé, prenez mon bras libre et nous y serons bien avant l'heure.

MADAME ROONEY (*sanglotant*). — Quoi ? Qu'est-ce qu'il y a encore ? Vous ne voyez pas que j'ai de la peine ? (*Avec colère.*) Vous n'avez donc aucun égard pour ceux qui souffrent ? (*Sanglotant.*) Minnie ! Ma petite Minnie !

MONSIEUR TYLER. — Voyons, madame, courage, venez, le rapide n'est pas encore passé, prenez mon bras libre et nous y serons bien avant l'heure.

MADAME ROONEY (*voix brisée*). — Elle aurait dans les quarante ans, à présent, je ne sais pas, cinquante, tremblant de tout son joli petit corps, au seuil du retour d'âge.

MONSIEUR TYLER. — Voyons, madame, courage, venez, le rapide

MADAME ROONEY (*explosant*). — Allez-vous me ficher la paix, monsieur Rooney, Tyler, je veux dire, allez-vous me ficher la paix, à la fin ? Vous ne m'avez pas encore assez tourmentée ? Quel est ce pays où une femme ne peut pas se promener tranquillement par monts et par vaux en pleurant toutes les larmes de son corps sans être empoisonnée par des coulissiers à la retraite ! (*M. Tyler s'apprête à remonter sur sa bicyclette.*) Mon Dieu, vous n'allez pas rouler à plat ! (*M. Tyler monte.*) Mais votre chambre à air ! Vous allez la mettre en lambeaux ! (*M. Tyler s'élance. Saccades de la bicyclette qui s'éloigne. Silence. Roucoulements.*) Oiseaux de Vénus ! Se bécotant dans les bois tout le long de l'été. (*Un temps.*) Maudit corset ! Si je pouvais le délacer sans outrage à la pudeur. Monsieur Tyler ! Monsieur Tyler ! Revenez vite me desserrer derrière la haie ! (*Éclat de rire débridé.*) Mais qu'est-ce que j'ai, qu'est-ce que j'ai ? Jamais tranquille ! Vieille peau qui pète, vieux crâne qui éclate ! Ah partir en atomes, en atomes ! (*Frénétique.*) ATOMES ! (*Silence. Roucoulements. Faiblement.*) Jésus ! (*Un temps.*) Jésus !

Bruit d'une voiture qui arrive derrière elle. Elle ralentit et s'arrête à sa hauteur. Le moteur tourne toujours. C'est monsieur Slocum, secrétaire au champ de courses.

MONSIEUR SLOCUM. — Quelque chose qui ne va pas, madame Rooney ? Vous voilà pliée en deux. Vous avez mal au ventre ?

Silence. Rire débridé de Madame Rooney.

MADAME ROONEY. — Ça par exemple,

mon vieux flirt monsieur le Secrétaire Général, dans sa limousine !

MONSIEUR SLOCUM. — Puis-je vous déposer quelque part, madame ? Vous allez dans ma direction ?

MADAME ROONEY. — Dame, nous y allons tous. (*Un temps.*) Comment va votre pauvre mère ?

MONSIEUR SLOCUM. — Merci, il ne faut pas se plaindre. Nous veillons à ce qu'elle ne souffre pas trop. C'est là le principal, n'est-ce pas ?

MADAME ROONEY. — En effet, monsieur, c'est là le principal, je me demande comment vous vous y prenez. (*Un temps. Elle s'envoie une claque retentissante sur la joue.*) Ah ces guêpes !

MONSIEUR SLOCUM (*avec froideur*). — Puis-je donc vous déposer quelque part ?

MADAME ROONEY (*avec enthousiasme*). — Oh quelle joie ce serait pour moi, cher ami, quelle joie ! (*Dubitative.*) Mais vais-je pouvoir monter, vous avez l'air très haut perché aujourd'hui, ces nouveaux pneus ballon sans doute. (*M. Slocum ouvre la portière, Mme Rooney essaie de monter.*) Pas moyen d'ouvrir cette capote, non ? (*Efforts de Mme Rooney.*) Non, rien à faire, je n'y arriverai jamais. Descendez, mon cher, et poussez-moi par derrière. (*Un temps.*) Vous dites ? (*Un temps. Vexée.*) C'est vous qui m'avez fait des propositions, monsieur, moi je ne vous ai rien demandé. Passez votre chemin, monsieur, passez votre chemin.

MONSIEUR SLOCUM (*coupant le moteur*). — J'arrive, madame, j'arrive. Une seconde ! Je suis raide moi aussi.

On l'entend s'extraire de son siège et sortir.

MADAME ROONEY. — Raide ! Moi ? Ce monceau de gélatine ! (*Un temps.*) Vieux beau !

MONSIEUR SLOCUM (*en place derrière elle*). — Voilà, madame Rooney, je suis prêt. Comment est-ce qu'on s'y prend ?

MADAME ROONEY. — Comme si j'étais une balle de son, n'ayez pas peur. (*Bruit d'efforts.*) Voilà ! (*Bruit d'efforts.*) Plus bas ! (*Bruit d'efforts.*) Attendez ! (*Un temps.*) Non, ne me lâchez pas ! (*Un temps.*) Mettons que j'arrive à monter, arriverai-je à redescendre ?

MONSIEUR SLOCUM (*haletant*). — Vous descendrez, madame, vous descendrez. Nous n'arriverons peut-être pas à vous faire monter, mais je vous garantis que nous arriverons à vous faire descendre.

Il reprend ses efforts.

MADAME ROONEY. — Oh !... Plus bas !... N'ayez pas peur !... Nous avons passé l'âge de... Là !... Votre épaule par-dessous !... Oh !... (*Petit rire.*) Ciel !... Plus haut, plus haut !... Ah !... Je suis dedans ! (*Halètement de M. Slocum. Il claque la portière.*) Ma robe ! Vous avez coincé ma robe ! (*M. Slocum rouvre la portière. Mme Rooney dégage sa robe. M. Slocum claque la portière, regagne l'autre portière en jurant entre ses dents. Geignarde.*) Ma jolie robe, regardez ce que vous avez fait de ma jolie robe ! (*M. Slocum s'installe, claque la portière, appuie sur le démarreur. Le moteur ne part pas. Il lâche le démarreur.*) Que dira Dan quand il verra ça ?

MONSIEUR SLOCUM. — Il a donc recouvré la vue ? Depuis quand ?

MADAME ROONEY. — Non, je veux dire quand il saura, que dira-t-il quand il sentira le trou ? (*M. Slocum appuie sur le démarreur. Même jeu.*) Qu'est-ce que vous faites ?

MONSIEUR SLOCUM. — Je regarde droit devant moi, à travers le pare-brise, dans le vide.

MADAME ROONEY. — Mettez-la en marche, je vous en supplie, et partons ! C'est affreux !

MONSIEUR SLOCUM (*rêveusement*). — Depuis l'aube elle roule comme un ange et la voilà fichue. Les bonnes actions, ah, parlons-en. (*Un temps. Reprenant espoir.*) Et si j'essayais avec l'étrangleur... (*Il le fait, puis appuie sur le démarreur. Le mo-*

teur ronfle. Criant pour se faire entendre.) Je lui laissais trop d'air !

Il réduit le régime du moteur, démarre dans un grincement de vitesses.

MADAME ROONEY (*avec angoisse*). — La poule ! (*Grincement de freins. Cri de poule.*) Aïe, vous l'avez écrasée ! Plus vite ! Plus vite ! (*M. Slocum accélère.*) Quelle fin ! On picore son crottin, tout heureuse, au bon soleil, un petit bain de poussière par-ci par-là, et tout d'un coup, crac ! adieu. (*Un temps.*) Adieu œufs, poussins adieu. (*Un temps.*) Un cri, un seul, puis... rideau. (*Un temps.*) On lui aurait tordu le cou de toute façon, tôt ou tard. (*Un temps.*) Voici la gare, je descends. (*La voiture ralentit, s'arrête. Le moteur tourne toujours. Coup de klaxon. Un temps. Plus fort. Un temps.*) Qu'est-ce que vous fabriquez encore ? Nous sommes arrêtés, il n'y a plus de danger, et vous cornez. Si au lieu de corner maintenant vous aviez corné pour cette malheureuse —

Violent coup de klaxon. Tommy le porteur apparaît en haut des marches menant au quai.

MONSIEUR SLOCUM (*appelant*). — Descends, Tommy, et aide la dame à sortir de là, elle est coincée. (*Tommy descend les marches.*) Ouvre la portière, Tommy, et délivre-la.

TOMMY. — Oui m'sieur. (*Il ouvre la portière.*) Belle journée pour les courses, m'sieur. Vous n'auriez pas un tuyau pour—

MADAME ROONEY. — Mais je vous en prie ! Ne vous occupez pas de moi. Je n'existe pas. Le fait est notoire.

MONSIEUR SLOCUM. — Fais ce qu'on te demande, Tommy, pour l'amour du ciel.

TOMMY. — Bien m'sieur.

Il commence à tirer Mme Rooney hors de la voiture.

MADAME ROONEY. — Doucement, Tommy, doucement, ne me bouscule pas. Laisse-moi seulement pivoter, que je puisse poser le pied par terre. (*Ses efforts pour ce faire.*) Voilà.

TOMMY (*en la tirant*). — Votre plume ! (*Bruit d'efforts.*) N'ayez pas peur.

MADAME ROONEY. — Doucement, bon Dieu, tu veux me décapiter ?

TOMMY. — Courbez-vous, m'dame, courbez-vous, et passez la tête.

MADAME ROONEY. — Me courber ! Encore ! A mon âge ! C'est de la démence !

TOMMY. — Pesez dessus, m'sieur.

Bruit de leurs efforts réunis.

MADAME ROONEY. — Pitié !

TOMMY. — Ça vient, ça vient ! Redressez-vous, m'dame. Ça y est.

M. Slocum claque la portière.

MADAME ROONEY. — Je suis sortie ?

Voix furieuse de M. Barrell, chef de gare.

MONSIEUR BARRELL. — Tommy ! Tommy ! Où est cet enfant de salaud ?

M. Slocum engage sa première vitesse avec un grincement.

TOMMY (*avec précipitation*). — Vous

n'auriez pas un tuyau pour le Prix des Dames, m'sieur ? On m'a filé Flash Harry.

MONSIEUR SLOCUM (*méprisant*). — Flash Harry ! Cette haridelle !

MONSIEUR BARRELL (*en haut des marches, hurlant*). — Tommy ! Je vais t'arracher les (*Il voit Mme Rooney.*) Oh pardon, madame. (*M. Slocum démarre dans un grincement de vitesses.*) Qui c'est qui m'esquinte cette boîte à vitesses ?

TOMMY. — C'est cette vieille tante de Slocum.

MADAME ROONEY. — Vieille tante ! En voilà une façon de parler de ses supérieurs. Vieille tante ! Toi, un enfant trouvé !

MONSIEUR BARRELL (*furieux, à Tommy*). — Qu'est-ce que tu fous là à traîner sur la route ? Tu n'as rien à faire ici. Allez, ouste, file sur le quai et sors-moi le diable. Tu ne sais pas que le midi trente va nous tomber dessus en moins de deux ?

TOMMY (*amer*). — Rendre service aux gens, ah, parlons-en.

MONSIEUR BARRELL. — Allez, grouille, tu entends, ou gare au rapport. (*Pas de Tommy qui monte lentement les marches.*) Tu veux mon pied quelque part ? (*Les pas vont plus vite, s'éloignent.*) Ah cette vie ! (*Un temps.*) Eh bien, madame Rooney, ça fait plaisir de vous revoir sur pied. Vous êtes restée longtemps au lit.

MADAME ROONEY. — Pas assez, monsieur Barrell, pas assez. (*Un temps.*) Ah être encore au lit, monsieur Barrell, être encore dans mon bon lit, en train de fondre tout doucement, sans douleur, me sustentant de bouillies et de blanc de poulet, et finir plate comme une limande sous les couvertures. (*Un temps.*) Oh sans tousser, bien sûr, ni cracher, ni saigner, ni vomir, dégringoler gentiment dans la vie éternelle en me rappelant, me rappelant... (*la voix se brise*)... tout ce piètre malheur... comme si... il n'avait jamais... été... Qu'est-ce que j'ai fait de ce mouchoir ? (*Elle se mouche bruyamment.*) Ça fait combien de temps que vous êtes chef de gare ici ?

MONSIEUR BARRELL. — Ma foi, madame, là vous m'en demandez trop.

MADAME ROONEY. — Vous avez remplacé votre père, si je ne me trompe, quand il a amené ses drapeaux.

MONSIEUR BARRELL. — Pauvre papa ! (*Seconde de silence.*) Il n'a pas eu le temps de planter beaucoup de choux.

MADAME ROONEY. — Je le revois comme si c'était hier. Un petit veuf rougeaud, à la figure de fouine, sourd comme un pot, toujours en train de grogner et de geindre. (*Un temps.*) Et vous-même ? Ce n'est pas bientôt l'heure du repos ? Au milieu de vos rosiers ? (*Un temps.*) Vous disiez que le midi trente allait bientôt nous tomber dessus, si j'ai bien compris.

MONSIEUR BARRELL. — Ça, vous l'avez bien compris.

MADAME ROONEY. — Mais si j'en crois ma montre, dont l'heure est celle — ou l'était — de l'horloge parlante, il doit être maintenant pas loin de midi... (*Elle consulte sa montre.*) ... trente-six. (*Un temps.*) Et cependant le rapide n'est pas encore passé. (*Un temps.*) Ou si vite que je ne m'en suis pas aperçue ? (*Un temps.*) Car tout à l'heure, maintenant ça me revient, j'étais tellement abîmée dans ma douleur que je n'aurais pas entendu un rouleau compresseur me passer dessus. (*M. Barrell décroche.*) Ne partez pas, monsieur Barrell ! (*M. Barrell s'en va.*) Monsieur Barrell ! (*Un temps.*) Monsieur Barrell !

M. Barrell revient.

MONSIEUR BARRELL (*agacé*). — Qu'est-ce que c'est, madame Rooney ? J'ai du travail, moi.

Silence. Bruit du vent.

MADAME ROONEY. — Le vent se lève. (*Un temps. Vent.*) Fini le beau temps pour aujourd'hui. (*Un temps. Vent. Rêveusement.*) Bientôt la pluie va tomber, tomber, tout l'après-midi. (*M. Barrell s'en va.*) Puis ce sera le soir, le ciel se dégagera, le soleil brillera un instant, avant de plonger, derrière les collines. (*Elle s'aperçoit que*

M. Barrell est parti.) Monsieur Barrell ! Monsieur Barrell ! (*Un temps.*) Je les indispose tous. Ils viennent à moi, sans que je les appelle, sans rancune, pleins de gentillesse, prêts à m'aider... (*la voix se brise*)... sincèrement heureux... de me revoir... si fraîche... et dispose... (*Mouchoir.*) Deux mots, de mon cœur, et me revoilà seule, une fois de plus. (*Mouchoir. Véhémente.*) Je ne devrais plus sortir ! Plus jamais ! Plus bouger de l'enceinte ! (*Un temps.*) Tiens, la fille Fitt ! Je me demande si elle va me saluer. (*Pas de Mlle Fitt qui arrive en fredonnant un cantique. Elle commence à monter les marches.*) Mademoiselle Fitt ! (*Mlle Fitt s'arrête, cesse de fredonner.*) Suis-je donc invisible, mademoiselle ? Ce fil à fil à fleurs me va donc si bien que je me confonds avec le mur ? (*Mlle Fitt descend une marche.*) C'est ça, mademoiselle, écarquillez bien les yeux et vous finirez par distinguer une ci-devant silhouette de femme.

MADEMOISELLE FITT. — Madame Rooney ! Je vous ai vue, mais sans vous voir.

MADAME ROONEY. — Dimanche dernier nous étions ensemble au temple. Nous nous sommes agenouillées devant le même autel. Nous nous sommes abreuvées au même calice. Ai-je donc tellement changé depuis lors ?

MADEMOISELLE FITT (*choquée*). — Mais, madame, au temple je suis seule avec mon Créateur. Vous pas ? (*Un temps.*) Le sacristain lui-même, quand il fait la quête, sait qu'il est inutile de s'arrêter devant moi, je ne vois même pas l'assiette, ou la bourse, enfin la chose qu'on vous tend, comment le pourrais-je ? (*Un temps.*) Même lorsque tout est fini et que je me retrouve dehors, à l'air pur, même à ce moment-là, sur deux cents mètres au moins, je titube dans une sorte d'éblouissement, sans voir les autres fidèles. Et ils sont gentils, je dois le dire, la plupart, très gentils et compréhensifs. Ils me connaissent maintenant, et ne m'en tiennent pas rigueur. La voilà, disent-ils, la brune demoiselle Fitt, la voilà qui s'en va toute seule avec son Créateur, fichons-lui la paix. Et ils descendent du trottoir pour m'éviter de leur rentrer dedans. (*Un temps.*) Ah oui, je suis distraite, très distraite, même en semaine. Demandez à maman, si vous ne me croyez pas. Hetty, me dit-elle, quand je me mets à manger ma serviette au lieu de ma tartine de beurre, Hetty, me dit-elle, comment peut-on être tellement distraite ? (*Soupir*). A vrai dire je pense que je ne suis pas là, madame Rooney, tout simplement pas là. Je vois, j'entends, je sens, et ainsi de suite, je m'acquitte des gestes habituels, mais le cœur n'y est pas, madame Rooney, le cœur n'y est pas du tout. Laissée à moi-même, sans personne pour me retenir, je serais vite envolée... dans ma vraie patrie. (*Un temps.*) N'allez donc pas croire que j'ai fait exprès de ne pas vous voir, ce serait me faire une injure. Je n'ai vu qu'une espèce de grosse tache pâle, encore une. (*Un temps.*) Ça ne va pas, madame Rooney ?

Vous avez l'air — comment dire ? — si drôle. Si courbée. Si penchée.

MADAME ROONEY (*avec amertume*). — Maddy Rooney, née Dunne, espèce de grosse tache pâle. (*Un temps.*) Vous avez un œil de lynx, mademoiselle, vous ne vous rendez pas compte, littéralement de lynx.

Un temps.

MADEMOISELLE FITT. — Eh bien... puisque je suis là maintenant, qu'y a-t-il pour votre service ?

MADAME ROONEY. — Si vous m'aidiez à escalader cette falaise, mademoiselle, je pense que votre Créateur vous le revaudrait, lui au moins.

MADEMOISELLE FITT. — Allez, allez, madame Rooney, rentrez vos griffes. Revaudrait ! Ces corvées je les fais gracieusement — ou pas du tout. (*Elle descend quelques marches, s'arrête.*) Vous voulez sans doute vous appuyer sur moi ?

MADAME ROONEY. — J'ai demandé à monsieur Barrell de me prêter son bras, simplement de me prêter son bras. (*Un temps.*) Il a tourné les talons et m'a plantée là.

MADEMOISELLE FITT. — Alors c'est mon bras que vous voulez ? (*Un temps. Impatiente.*) C'est mon bras que vous voulez, madame, ou quoi ?

MADAME ROONEY (*explosant*). — Votre bras ! N'importe quel bras ! Un bras ! Une main secourable ! Cinq secondes ! Jésus, quelle planète !

MADEMOISELLE FITT. — Vraiment... vous voulez que je vous dise ? J'ai l'impression que ça ne vous vaut rien de sortir.

MADAME ROONEY (*avec violence*). — Descendez, mademoiselle, descendez de là et donnez-moi le bras, ou j'ameute la paroisse.

Un temps. Vent. Mlle Fitt descend les dernières marches.

MADEMOISELLE FITT (*résignée*). — C'est bon, allons jusqu'au bout de nos devoirs de protestante.

MADAME ROONEY. — Les fourmis le font entre elles. (*Un temps.*) J'ai vu des limaces le faire. (*Mlle Fitt tend son bras.*) Non, mademoiselle, le droit, si ça ne vous fait rien, je suis gauchère, pour comble de bonheur. (*Elle prend le bras droit de Mlle Fitt.*) Aïe, vous n'êtes qu'un sac d'os ! Il vous faut vous remplumer ! (*Bruit d'ascension.*) C'est pire que le Matterhorn, vous y êtes montée ? Toujours noir de jeunes mariés. (*Bruit d'ascension.*) Pas même une rampe ! (*Halètements.*) Attendez, que je souffle. (*Un temps.*) Ne me lâchez pas ! (*Mlle Fitt fredonne son cantique. A sa voix, après un instant, Mme Rooney unit la sienne, en chantant les paroles.*) Mon rocher, ma forteresse... (*Mlle Fitt s'arrête de fredonner*)... mon tamtamtam protecteur ! (*A pleine voix.*) Mon recours dans la détresse, c'est —

MADEMOISELLE FITT (*hystérique*). — Arrêtez, madame Rooney, arrêtez ou je vous lâche !

MADAME ROONEY. — Ce n'est pas ça

qu'ils ont chanté sur le *Lusitania* ? Ou est-ce que je confonds avec « Mon Dieu, plus près de toi » ? Ça devait être émouvant. Ou est-ce que je confonds avec le *Titanic* ?

Attiré par le bruit un groupe, dont M. Tyler, M. Barrell et Tommy, se rassemble en haut des marches.

MONSIEUR BARRELL. — Nom de

Silence.

MONSIEUR TYLER. — Beau temps pour les courses.

Eclat de rire de Tommy, auquel M. Barrell coupe court d'un coup de poing dans le ventre de celui-là. Bruit approprié de Tommy.

VOIX DE FEMME (*perçante*). — Oh Dolly, regarde !

DOLLY. — Quoi, maman ?

VOIX DE FEMME. — Elles sont coincées. (*Rire aigu.*) Elles sont coincées !

MADAME ROONEY. — Nous voilà la risée des vingt-six comtés. A moins qu'ils ne soient trente-six.

MONSIEUR TYLER. — En voilà une façon de traiter des subordonnés sans défense, monsieur Barrell. A coups de poing sans préavis dans le bas-ventre !

MADEMOISELLE FITT. — Est-ce que quelqu'un a vu ma mère ?

MONSIEUR BARRELL. — Qui est-ce ?

TOMMY. — La brune demoiselle Fitt.

MONSIEUR BARRELL. — Où est sa tête ?

MADAME ROONEY. — Voilà, mon enfant, je suis à vous, quand vous voudrez. (*Elles montent péniblement les dernières marches.*) Arrière, manants !

Bruit confus de pas.

VOIX DE FEMME. — Attention, Dolly !

MADAME ROONEY. — Merci, merci, ça suffit, vous n'avez plus qu'à m'appuyer contre le mur, comme si j'étais un tapis roulé, et ce sera tout, pour l'instant. (*Un temps.*) Je suis désolée de tout ce branle-bas, mademoiselle. Si j'avais su que vous cherchiez votre maman, je ne vous aurais pas importunée, je sais ce que c'est.

VOIX DE FEMME. — Viens, Dolly, viens mon agneau, allons nous poster devant l'arrêt des premières, non fumeurs. Donne ta menotte et tiens-moi ferme, quelquefois on est aspiré sous les roues.

MONSIEUR TYLER. — Vous avez perdu votre mère, mademoiselle ?

MADEMOISELLE FITT. — Bonjour, monsieur Tyler.

MONSIEUR TYLER. — Bonjour, mademoiselle Fitt.

MONSIEUR BARRELL. — Bonjour, mademoiselle Fitt.

MADEMOISELLE FITT. — Bonjour, monsieur Barrell.

MONSIEUR TYLER. — Vous avez perdu votre mère, mademoiselle ?

MADEMOISELLE FITT. — Elle m'a dit qu'elle arriverait par le dernier train.

MADAME ROONEY. — Ne vous imaginez pas, parce que je me tais, que je ne suis pas là, et attentive à tout ce qui se passe.

MONSIEUR TYLER (*à Mlle Fitt*). — Quand vous dites le dernier train —

MADAME ROONEY. — Ne vous flattez pas un seul instant, parce que je me tiens momentanément à l'écart, que j'aie cessé de souffrir. Non. Je vois la scène, les collines, la plaine, le champ de courses avec ses kilomètres de clôture blanche et ses trois tribunes rouges, et ce petit bijou de gare de campagne, oui, et vous-mêmes, je ne plaisante pas, et par-dessus toutes ces laideurs l'azur qui se couvre, oui, je me tiens là et je vois tout ça, avec des yeux... (*la voix se brise*)... des yeux... ah si vous aviez mes yeux... vous comprendriez... les choses qu'ils ont vues... sans se détourner... tout ça n'est rien... rien... Qu'est-ce que j'ai fait de ce mouchoir ?

Un temps.

MONSIEUR TYLER (*à Mlle Fitt*). — Quand vous dites le dernier train — (*Mme Rooney se mouche longuement et bruyamment.*) Quand vous dites le dernier train, mademoiselle, sans doute faites-vous allusion au midi trente.

MADEMOISELLE FITT. — A quel autre pourrais-je faire allusion, monsieur Tyler, à quel autre est-il concevable que je fasse allusion ?

MONSIEUR TYLER. — En ce cas, mademoiselle, vous n'avez pas à vous tourmenter, car le midi trente n'est pas encore arrivé. Regardez. (*Elle regarde.*) Non, en amont. (*Elle regarde. Patiemment.*) Non, mademoiselle, suivez mon index. (*Elle regarde.*) Voilà, vous voyez maintenant. Le sémaphore. A l'obscène horizontale de neuf heures. (*Se reprenant avec mélancolie.*) Ou de trois heures, hélas ! (*Monsieur Barrell étouffe un éclat de rire.*) Merci, monsieur Barrell.

MADEMOISELLE FITT. — Mais il va être bientôt —

MONSIEUR TYLER (*patiemment*). — Nous savons tous, mademoiselle, nous ne savons tous que trop bien ce qu'il va être bientôt. Il n'en reste pas moins, que cela nous plaise ou non, que le midi trente n'est pas encore arrivé.

MADEMOISELLE FITT. — Pas d'accident, au moins ? (*Un temps.*) Ne me dites pas qu'il est sorti des rails ! (*Un temps. Avec désespoir.*) Petite maman chérie ! Avec la limande de notre déjeuner !

Eclat de rire de Tommy, réprimé comme précédemment par M. Barrell.

MONSIEUR BARRELL. — Assez déconné, toi ! File à la cabine et demande à monsieur Case s'il y a du nouveau.

Tommy s'en va.

MADAME ROONEY. — Pauvre Dan !

MONSIEUR TYLER. — Allons allons, mademoiselle Fitt, ne vous —

MADAME ROONEY (*avec véhémence*). — Pauvre Dan !

MADEMOISELLE FITT. — Un malheur ! Je le savais !

MONSIEUR TYLER. — Allons allons, mademoiselle Fitt, ne vous laissez pas aller... au désespoir. Tout s'arrangera... à la fin. (*A part à M. Barrell.*) Entre nous, monsieur Barrell, de quoi s'agit-il, au juste ? D'une collision ? Je ne peux pas le croire.

MADAME ROONEY (*avec enthousiasme*). — Une collision ! Oh ce serait merveilleux !

MADEMOISELLE FITT. — Une collision ! Je le savais !

MONSIEUR TYLER. — Venez, mademoiselle, allons un peu sur le quai.

MADAME ROONEY. — C'est ça, allons-y tous. (*Un temps.*) Non ? (*Un temps.*) Vous avez changé d'avis ? (*Un temps.*) Tout à fait d'accord, on est mieux ici, à l'ombre de la salle d'attente.

MONSIEUR BARRELL. — Excusez-moi un instant.

MADAME ROONEY. — Avant de vous esquiver, monsieur Barrell, une petite mise au point, je l'exige. Même l'omnibus le plus poussif n'a pas dix minutes, que dis-je, onze minutes de retard, sur ce bref parcours, sans motif, j'imagine. (*Un temps.*) Que votre gare soit la plus coquette de l'ensemble du réseau, nous le savons tous. Mais il y a des moments où cela ne suffit pas, non, vraiment pas. (*Un temps.*) Allons, monsieur Barrell, assez de broutiller votre moustache, nous attendons une explication, nous les parents les plus proches, sinon les plus chers, de vos infortunés demi-tarif.

Un temps.

MONSIEUR TYLER (*sur un ton raisonnable*). — Il me semble en effet qu'on nous doit quelques éclaircissements, ne serait-ce que pour nous tranquilliser.

MONSIEUR BARRELL. — Je ne sais rien. Il y a eu un accident technique, c'est tout ce que je sais. Le trafic est retardé sur toute la ligne.

MADAME ROONEY (*ironique*). — Retardé ! Un accident technique ! Ah ces célibataires ! Nous sommes là en train de nous ronger les sangs pour nos bien-aimés et il appelle ça un accident technique ! Ceux d'entre nous qui ont le cœur et la rate dilatés — et c'est mon cas — peuvent s'affaler d'une seconde à l'autre et il appelle ça un accident technique ! Dans nos fours le rôti du samedi est en train de se carboniser et il appelle ça —

MONSIEUR TYLER. — Voici Tommy qui arrive, au pas de course. Je suis content d'avoir vu ça, avant de mourir.

TOMMY (*excité, de loin*). — Il arrive ! (*Un temps. De plus près.*) Il est au passage à niveau !

Aussitôt bruits de gare. Sonneries et sifflets. Sifflement du rapide qui passe.

MADAME ROONEY (*criant pour se faire entendre*). — Le rapide ! Le rapide (*Le rapide s'éloigne, croise l'omnibus qui arrive, entre en gare à grand bruit de vapeur et de ferraille, s'arrête. Bruit des passagers qui descendent, des portières qui claquent, etc. M. Barrell hurle :*

« *Boghill ! Boghill !* » *A tue-tête.*) Dan !... Tout va bien ?... Où est-il ?... Dan !... Vous n'avez pas vu mon mari ?... Dan !... (*Bruit de la gare qui se vide. Sifflet du chef de train. L'omnibus repart, s'éloigne. Silence.*) Il n'est pas dedans ! Toutes les tortures que j'ai endurées pour venir jusqu'ici et il n'est pas dedans ! Monsieur Barrell ! Il n'était pas dedans ! (*Un temps.*) Ça ne va pas ? Vous avez vu un fantôme ? (*Un temps.*) Tommy ! Il n'était pas dedans ?

TOMMY. — Il arrive, m'dame. Jerry s'en occupe.

M. Rooney surgit sur le quai. Il avance, appuyé sur l'épaule du petit Jerry. Il est aveugle. Il frappe le sol de sa canne et halète sans arrêt.

MADAME ROONEY. — Dan ! Te voilà enfin ! (*Elle s'élance vers lui. Bruit de ses pas traînants. Ils se rejoignent, s'arrêtent.*) D'où sors-tu, pour l'amour du ciel ?

MONSIEUR ROONEY (*avec froideur*). — Maddy.

MADAME ROONEY. — Mais d'où sors-tu ?

MONSIEUR ROONEY. — Des cabinets.

MADAME ROONEY. — Embrasse-moi !

MONSIEUR ROONEY. — T'embrasser ? En public ? Sur le quai ? Devant le petit ? Tu es tombée sur la tête ?

MADAME ROONEY. — Jerry s'en fiche. N'est-ce pas, Jerry ?

JERRY. — Oui m'dame.

MADAME ROONEY. — Comment va ton pauvre papa ?

JERRY. — Ils l'ont emporté, m'dame.

MADAME ROONEY. — Alors te voilà seul au monde ?

JERRY. — Oui m'dame.

MONSIEUR ROONEY. — Pourquoi es-tu venue ? Tu ne m'as pas prévenu.

MADAME ROONEY. — Je voulais te faire une surprise. Pour ton anniversaire.

MONSIEUR ROONEY. — Mon anniversaire ?

MADAME ROONEY. — Tu ne te rappelles pas ? Je te l'ai souhaité dans la salle de bains.

MONSIEUR ROONEY. — Je n'ai rien entendu.

MADAME ROONEY. — Mais je t'ai donné une cravate ! Tu l'arbores.

Un temps.

MONSIEUR ROONEY. — J'ai quel âge maintenant ?

MADAME ROONEY. — T'occupe pas de ça. Viens.

MONSIEUR ROONEY. — Pourquoi n'as-tu pas décommandé le petit ? Maintenant il va falloir lui donner un penny.

MADAME ROONEY (*malheureuse*). — J'ai oublié. J'ai cru que je n'allais jamais arriver. Tous ces gens épouvantables ! (*Un temps. Suppliante.*) Sois gentil, Dan, sois gentil avec moi aujourd'hui.

MONSIEUR ROONEY. — Donne-lui un penny.

MADAME ROONEY. — Tiens, Jerry, voici un penny, cours vite acheter un rocher praliné.

JERRY. — Oui m'dame.

MONSIEUR ROONEY. — Viens me chercher lundi, si je vis encore.

JERRY. — Oui m'sieur.

Il se sauve.

MONSIEUR ROONEY. — Nous aurions pu économiser six pence. Nous en avons économisé cinq. (*Un temps.*) Mais à quel prix ?

Ils partent le long du quai bras dessus bras dessous. Pas traînants. Halètements. Bruit de la canne qui frappe le sol.

MADAME ROONEY. — Tu n'es pas bien ?

Ils s'arrêtent, M. Rooney le premier.

MONSIEUR ROONEY. — Une fois pour toutes, ne me demande pas de parler et d'avancer en même temps. Je ne te le redirai plus, dans cette vie.

Ils repartent. Pas traînants, etc. Ils s'arrêtent en haut des marches.

MADAME ROONEY. — Tu n'es pas —

MONSIEUR ROONEY. — Finissons-en avec ce précipice.

MADAME ROONEY. — Mets ton bras autour de moi.

MONSIEUR ROONEY. — Tu as encore bu ? (*Un temps.*) Tu trembles comme une feuille. Vas-tu pouvoir me guider ? (*Un temps.*) On va tomber dans le fossé.

MADAME ROONEY. — Oh Dan ! Ce sera comme autrefois !

MONSIEUR ROONEY. — Ressaisis-toi ou j'envoie Tommy chercher le fiacre. Alors au lieu d'avoir économisé six pence, non, cinq, nous en aurons perdu... (*il calcule en marmonnant*)... deux et trois moins six un et non plus un un et non plus trois un et neuf et un dix et trois deux et un... (*voix normale*) nous aurons dilapidé la somme de deux shillings et un penny. (*Un temps.*) Maudit soleil qui se cache. A quoi ressemble le ciel ?

Vent.

MADAME ROONEY. — A un ciel qui se

voile. Fini le beau temps... pour aujourd'hui. (*Un temps.*) Ce sera bientôt la pluie, les premières grosses gouttes, plof ! plof ! dans la poussière.

MONSIEUR ROONEY. — Et ce salopard de baromètre au beau fixe. (*Un temps.*) Rentrons vite nous installer devant le feu. Nous tirerons les rideaux. Tu me liras un chapitre. Je sens qu'Effie va coucher avec le major. (*Pas traînants.*) Attends ! (*Les pas s'arrêtent. La canne frappe les marches.*) J'ai monté et descendu ces marches cinq mille fois et je ne sais pas encore combien il y en a. Quand je crois qu'il y en a six il y en a quatre ou cinq ou sept ou huit, et quand je me rappelle qu'il y en a cinq il y en a trois ou quatre ou six ou sept, et quand finalement je me rends compte qu'il y en a sept il y en a cinq ou six ou huit ou neuf. Parfois je me demande si on ne vient pas les changer pendant la nuit. (*Un temps. Agacé.*) Eh bien ? Il y en a combien aujourd'hui, d'après toi ?

MADAME ROONEY. — Ne me demande pas de compter, Dan, pas maintenant.

MONSIEUR ROONEY. — Pas compter! Un des rares plaisirs de la vie !

MADAME ROONEY. — Pas les marches, Dan, je t'en prie, je me trompe toujours. Je pourrais te faire tomber sur ta blessure, j'ai assez de boue sur la conscience sans ça. Non, tu n'as qu'à bien t'accrocher à moi et tout ira bien.

Bruit de descente. Halètements, trébuchements, exclamations, jurons. Silence.

MONSIEUR ROONEY. — Bien ! C'est ça que tu appelles bien !

MADAME ROONEY. — Nous sommes en bas, et à peu près indemnes. (*Silence. Un âne brait. Silence*). Tu entends ? Un vrai âne ! Son père et sa mère étaient de vrais ânes.

Silence.

MONSIEUR ROONEY. — Tu sais une chose, je crois que je vais prendre ma retraite.

MADAME ROONEY (*épouvantée*). — Ta retraite ? Et vivre à la maison ? De ta pension ?

MONSIEUR ROONEY. — Ne plus me battre avec ces maudites marches. Ne plus me traîner sur cette route infernale. Rester à la maison, sur les débris de mon cul, à compter les heures — jusqu'au prochain repas. (*Un temps.*) Je revis, rien qu'à y penser. En avant, tant que ça dure !

Ils repartent. Pas traînants, halètements, canne sur le sol.

MADAME ROONEY. — Attention au trottoir !... Et hop là !... Bravo ! Nous voilà tranquilles, plus qu'à filer droit devant nous.

MONSIEUR ROONEY (*sans s'arrêter, en haletant*). — Filer... droit... Elle appelle ça... filer... droit...

MADAME ROONEY. — Tais-toi. Ne parle pas en marchant. Tu sais très bien que ce n'est pas bon pour ton rétrécissement mitral. (*Pas traînants, etc.*) Ne pense plus qu'à poser un pied devant le suivant, c'est comme ça qu'on dit ? (*Pas traînants, etc.*) Voilà, nous sommes lancés. (*Pas traînants, etc. Ils s'arrêtent, Mme Rooney la première.*) Ah ! Je savais bien qu'il y avait quelque chose. Avec toutes ces émotions je n'y pensais plus.

MONSIEUR ROONEY (*calmement*). — Bon Dieu.

MADAME ROONEY. — Mais tu dois savoir Dan, bien sûr, tu étais dedans. Qu'est-ce qui s'est passé ? Dis-moi.

MONSIEUR ROONEY. — Il ne s'est jamais rien passé, que je sache.

MADAME ROONEY. — Mais tu dois —

MONSIEUR ROONEY (*avec violence*). — Ah ces arrêts, ces redéparts, c'est infernal, infernal ! A peine je me mets en branle et commence à me sentir emporté par l'élan que tu t'arrêtes pile ! Cent kilos de cellulite ! Qu'est-ce qui t'a pris de venir me chercher ? Lâche-moi !

MADAME ROONEY (*très agitée*). — Non, je veux savoir ! On ne décollera pas d'ici avant que tu me le dises. Un quart d'heure de retard ! Sur un parcours de trente minutes ! Ça n'existe pas !

MONSIEUR ROONEY. — Je ne sais rien. Lâche-moi ou je t'envoie valser.

MADAME ROONEY. — Mais tu dois savoir! Tu étais dedans ! C'était au départ ? Vous êtes partis à l'heure ? Ou pendant le trajet ? (*Un temps.*) Il s'est passé quelque chose pendant le trajet ? (*Un temps.*) Dan ! (*Un temps.*) Pourquoi ne veux-tu pas me le dire ?

Silence. Ils repartent. Pas traînants, etc. Ils s'arrêtent.

MONSIEUR ROONEY. — Pauvre Maddy ! (*Un temps. Cris d'enfants.*) Qu'est-ce que c'est ?

Un temps.

MADAME ROONEY. — Les petits Lynch, les jumeaux, qui se fichent de nous.

Cris.

MONSIEUR ROONEY. — Tu crois qu'ils

vont nous lancer des pierres aujourd'hui ?

Cris.

MADAME ROONEY. — Faisons volte-face et bravons-les. (*Cris. Ils font volte-face. Silence.*) Menace-les de ta canne. (*Silence.*) Ils se sont enfuis.

Un temps.

MONSIEUR ROONEY. — Tu n'as jamais eu envie de tuer un enfant ? (*Un temps.*) Couper court à un fiasco en fleur. (*Un temps.*) Que de fois la nuit, l'hiver, sur cette route noire, j'ai failli tomber sur le gosse. Pauvre Jerry ! (*Un temps.*) Qu'est-ce qui me retenait alors. (*Un temps.*) Pas la crainte des hommes. (*Un temps.*) Si on continuait un peu à reculons ?

MADAME ROONEY. — A reculons ?

MONSIEUR ROONEY. — Oui. Ou toi droit devant toi et moi à reculons. Le couple idéal. Comme les damnés de Dante, la tête vissée à l'envers. Nos larmes arroseront nos fesses.

MADAME ROONEY. — Qu'est-ce qu'il y a, Dan ? Tu n'es pas bien ?

MONSIEUR ROONEY. — Bien ! Est-ce que j'ai jamais été bien ? Le jour où tu as fait ma connaissance j'aurais dû être au lit. Le jour où tu m'as demandé en mariage les médecins me condamnaient. Ça tu le savais n'est-ce pas ? La nuit où tu m'as épousé on m'a emporté sur une civière. Ça tu ne l'as pas oublié, je pense. (*Un temps.*) Non, on ne peut pas dire que je sois bien. Mais je ne suis pas plus mal. Je suis même plutôt mieux. La perte de mes yeux m'a donné un coup de fouet. Si je pouvais devenir sourd et muet je serais foutu de me traîner jusqu'à mes cent ans. (*Un temps.*) Ou est-ce chose faite ? (*Un temps.*) Ai-je cent ans aujourd'hui ? (*Un temps*). Ai-je cent ans, Maddy ?

Silence.

MADAME ROONEY. — Tout est calme. Pas âme qui vive. Personne à qui demander. Le monde mange. Le vent... (*bref coup de vent*)... remue à peine les feuilles et les oiseaux... (*bref gazouillis*)... sont las de chanter. Les vaches... (*bref beuglement*)... et les moutons...(*bref bêlement*)... ruminent en silence. Les chiens... (*bref aboiement*)... sont assoupis et les poules... (*bref caquètement*)... couchées dans la poussière. Nous sommes seuls. Personne à qui demander.

Silence.

MONSIEUR ROONEY (*s'éclaircissant la voix, ton de narrateur*). — Nous avons démarré à midi pile, ça je peux le certifier. J'étais —

MADAME ROONEY. — Comment peux-tu le certifier ?

MONSIEUR ROONEY (*ton normal, avec colère*). — Je peux le certifier, je te dis. Tu veux mon rapport, oui ou non ? (*Un temps. Ton de narrateur.*) A midi pile. J'étais seul dans le compartiment, comme d'habitude. Du moins je l'espère, car j'ai été d'un sans-gêne... (*Un temps.*) D'une inconvenance... (*Un temps.*) Enfin... Mon esprit — (*Ton normal.*) Mais pourquoi ne pas nous asseoir quelque part ? Aurions-nous peur de ne plus pouvoir nous relever ?

MADAME ROONEY. — Nous asseoir sur quoi ?

MONSIEUR ROONEY. — Sur un banc, par exemple.

MADAME ROONEY. — Il n'y a pas de banc.

MONSIEUR ROONEY. — Alors sur un talus, laissons-nous tomber sur un talus.

MADAME ROONEY. — Il n'y a pas de talus.

MONSIEUR ROONEY. — Alors on ne peut pas. (*Un temps.*) Je rêve d'autres routes, dans d'autres pays. (*Un temps.*) D'une autre maison, d'une autre... (*il hésite*)... d'une autre maison. (*Un temps.*) De quoi est-ce que je voulais parler ?

MADAME ROONEY. — De ton esprit.

MONSIEUR ROONEY (*saisi*). — Mon esprit ? Tu es sûre ? (*Un temps. Incrédule.*) Mon esprit ? (*Un temps.*) Ah en effet. (*Ton de narrateur.*) Dans le compartiment vide mon esprit s'est mis à travailler, comme souvent cela m'arrive, après le turbin, sur le chemin du retour, au chant des bogeys. Je me disais. Tu paies ton abonnement douze livres par an et tu gagnes, l'un dans l'autre, sept shillings par jour, soit juste juste de quoi acheter les sandwichs, petits verres, tabac et illustrés qui te permettent de rester debout, ou assis, en attendant de pouvoir rentrer à la maison et t'écrouler sur ton lit. Sans parler du reste — loyer et assurances, souscriptions diverses, chauffage et éclairage, permis et licences, entretien des locaux, sauvegarde des apparences, par-ci par-là un timbre-poste, cheveux et barbe, tramway aller et retour, pourboires aux guides bénévoles, et tu en passes. Il est donc évident qu'à rester couché chez toi, jour et nuit, hiver comme été, en changeant de pyjama tous les quinze jours, tu augmenterais considérablement tes revenus. Les affaires, disais-je — (*Un cri. Un temps. Nouveau cri. Ton normal.*) Quelqu'un a crié ?

MADAME ROONEY. — Ça doit être madame Tully. Son pauvre mari souffre sans trêve et la bat sans merci.

Silence.

MONSIEUR ROONEY (*déçu*). — C'est tout ? (*Un temps.*) Où est-ce que je voulais en venir ?

MADAME ROONEY. — Les affaires.

MONSIEUR ROONEY. — Ah oui, les affaires. (*Un temps. Ton de narrateur.*) Les affaires, mon cher, me disais-je, retire-toi des affaires, elles se sont retirées de toi. (*Ton normal.*) On a de ces moments de clairvoyance.

MADAME ROONEY. — Je suis glacée, je n'en peux plus.

MONSIEUR ROONEY (*ton de narrateur*). — D'autre part, me disais-je, il y a les horreurs de la vie chez soi — brossage, frottage, balayage, grattage, cirage, suçage, polissage, raclage, lavage, séchage, arrosage, brassage, rinçage, grinçage, malaxage, claquage, en un mot le ménage. Et toute la sale marmaille des voisins, braillant et pétant de vie et de bonheur. Enfer des fins de semaine, tu en sais quelque chose. Mais qu'est-ce que ça doit être les jours ouvrables ? Un mercredi ? Un vendredi ? Qu'est-ce que ça doit être un vendredi ! Et je me suis repris à songer à mon bureau dans l'impasse, à mon sous-sol silencieux, avec sa plaque où le temps a effacé mon nom, son lit de repos et ses tentures de velours, et à tout ce que ça représente d'y être enterré vif ne fût-ce que de dix à cinq, mes rafraîchissements à portée de main. Rien, me disais-je, même pas la mort dûment constatée, ne pourra jamais remplacer ça. (*Un temps.*) Ce fut alors que la réalité me reprit. Tiens, me suis-je écrié, l'arrêt ! (*Un temps. Ton normal. Agacé.*) Qu'est-ce que tu as à te pendre à mes basques comme ça ? Tu perds connaissance ?

MADAME ROONEY. — Je suis transie, je n'en peux mais. Le vent... (*sifflement du vent*)... siffle à travers ma robe d'été comme si je n'avais rien par-dessus mon pantalon.

Je n'ai rien avalé de solide depuis mes dix heures.

MONSIEUR ROONEY. — Tu ne m'écoutes plus. Je parle — et tu écoutes le vent.

MADAME ROONEY. — Non, non, je suis tout ouïe. Dis-moi tout. Puis en avant, à pleines voiles, sans halte ni trêve, jusqu'au havre.

Un temps.

MONSIEUR ROONEY. — Sans halte ni trêve !... Jusqu'au havre !... Tu sais, Maddy, on dirait quelquefois que tu te bats avec une langue morte.

MADAME ROONEY. — C'est vrai, Dan, je ne sais que trop bien ce que tu veux dire, j'ai souvent cette impression, c'est indiciblement pénible.

MONSIEUR ROONEY. — J'avoue que moi-même je l'ai par moments. Quand il m'arrive de surprendre ce que je suis en train de dire.

MADAME ROONEY. — Eh bien, tu sais, elle finira bien par mourir, tout comme notre pauvre vieux gaélique, après tout.

Bêlement déchirant.

MONSIEUR ROONEY (*effrayé*). — Bon Dieu !

MADAME ROONEY. — Oh le joli petit agneau frisé qui pleure après sa maman ! La leur n'a pas changé, depuis l'Arcadie.

Un temps.

MONSIEUR ROONEY. — Où en étais-je de mon discours ?

MADAME ROONEY. — A l'arrêt.

MONSIEUR ROONEY. — Ah oui. (*Il s'éclaircit la voix, ton de narrateur.*) J'en ai conclu, naturellement, que nous étions entrés en gare et n'allions pas tarder à repartir, et je suis resté à ma place, sans inquiétude. C'est calme aujourd'hui, me disais-je, personne ne monte, personne ne descend. Puis comme le temps fuyait et toujours rien, j'ai compris mon erreur. Nous n'étions pas entrés en gare.

MADAME ROONEY. — Et tu ne t'es pas levé d'un bond pour te pencher à la portière.

MONSIEUR ROONEY. — A quoi cela m'aurait-il avancé ?

MADAME ROONEY. — Eh bien, tu aurais crié jusqu'à ce qu'on vienne te dire ce qui n'allait pas.

MONSIEUR ROONEY. — Je m'en fichais de ce qui n'allait pas. Non, je suis simplement resté à ma place, en me disant, Ce convoi ne bougerait jamais plus d'ici que cela me serait à peu près égal. Puis petit à petit un besoin de... comment dirai-je ?... un besoin... tu sais... de plus en plus pressant. Nerveux probablement. Oui, maintenant j'en suis sûr. Tu sais, la sensation d'être claustré.

MADAME ROONEY. — Oui oui, je suis passée par là.

MONSIEUR ROONEY. — Je me disais, Si cette situation se prolonge, je ne sais vraiment pas ce que je vais faire. Je me suis levé et j'ai marché de long en large, entre les banquettes, comme un fauve en cage.

MADAME ROONEY. — Oui, ça aide quelquefois.

MONSIEUR ROONEY. — Au bout de ce qui m'a semblé une éternité nous sommes repartis, pour ne plus nous arrêter. J'entends la voix de Barrell qui gueule le nom exécré. Je descends. Jerry me conduit aux cabinets. Déception. (*Un temps.*) Et voilà. (*Un temps.*) Tu ne dis rien ? (*Un temps.*) Dis quelque chose, Maddy ! Dis que tu me crois !

MADAME ROONEY. — Je me souviens d'avoir assisté un jour à une conférence donnée par un de ces nouveaux spécialistes du mental, j'oublie le terme exact. Il disait —

MONSIEUR ROONEY. — Un aliéniste ?

MADAME ROONEY. — Non non, simplement la détresse mentale. J'espérais qu'il jetterait un peu de lumière sur ma vieille hantise des fesses de cheval.

MADAME ROONEY. — Un vétérinaire ?

MADAME ROONEY. — Non non, simplement la misère mentale, le nom me reviendra dans la nuit. Il nous a raconté l'histoire d'une petite fille très étrange et malheureuse et comment, après l'avoir soignée sans succès pendant des années, il avait dû finalement y renoncer. Il ne lui avait rien trouvé d'anormal, disait-il, elle n'avait rien. La seule chose qu'elle avait, selon lui, c'est qu'elle était en train de mourir. Il s'en est donc lavé les mains et elle est morte en effet, peu de temps après.

MONSIEUR ROONEY. — Eh bien, qu'est-ce qu'il y a là de si extraordinaire ?

MADAME ROONEY. — Non, c'est seulement quelque chose qu'il a dit, et sa façon de le dire, qui me poursuivent depuis.

MONSIEUR ROONEY. — Tu y penses la nuit, dans ton lit, en te tortillant comme un ver, sans pouvoir fermer l'œil.

MADAME ROONEY. — A ça et à d'autres... horreurs. (*Un temps.*) Quand il en a eu fini avec la petite fille il est resté courbé sur sa table un bon moment, deux minutes au moins, puis brusquement il a relevé la tête et s'est écrié, comme s'il venait d'avoir une révélation, Elle n'était jamais née réellement, voilà ce qu'elle avait ! (*Un temps.*) Il a parlé sans notes d'un bout à l'autre. (*Un temps.*) Je suis partie avant la fin.

MONSIEUR ROONEY. — Rien au sujet de tes fesses ? (*Mme Rooney pleure. Sur un ton de remontrance affectueuse.*) Maddy !

MADAME ROONEY (*en pleurs*). — Il n'y a rien à faire pour ces gens-là !

MONSIEUR ROONEY. — Pour lesquels y en a-t-il ? (*Un temps.*) On dirait du sanscrit. (*Un temps.*) Je suis tourné dans quel sens ?

MADAME ROONEY. — Quoi ?

MONSIEUR ROONEY. — Je ne sais plus dans quel sens je suis tourné.

MADAME ROONEY. — Tu t'es détourné. Tu es courbé sur le fossé.

MONSIEUR ROONEY. — Il y a un chien crevé là-dedans.

MADAME ROONEY. — Non non, rien que des feuilles pourries.

MONSIEUR ROONEY. — En juin ? Des feuilles pourries en juin ?

MADAME ROONEY. — Oui, mon chéri. De l'année dernière, et de l'année d'avant, et de l'année d'avant encore. (*Silence. Vent de pluie. Ils repartent. Pas traînants, etc.*) Revoilà mon joli cytise. Le pauvre, il perd toutes ses grappes. (*Pas traînants, etc.*) Voilà les premières gouttes. (*Pluie, Pas traînants, etc.*) Bruine d'or... (*Pas traînants, etc.*) Ne t'occupe pas, mon chéri, je baragouine toute seule. (*Pluie plus fort. Pas traînants, etc.*) Je me demande si les bardots peuvent procréer.

Ils s'arrêtent, M. Rooney le premier.

MONSIEUR ROONEY. — Tu dis ?

MADAME ROONEY. — Viens, mon chéri, ne t'occupe pas, on va se faire saucer.

MONSIEUR ROONEY (*avec force*). — Si les quoi peuvent quoi ?

MADAME ROONEY. — Les bardots. Procréer. (*Un temps.*) Tu sais, les bardots, ou les hémiones, enfin, tu vois, n'est-ce pas qu'ils sont impuissants, ou stériles, enfin tu vois ce que je veux dire. (*Un temps.*) Ce n'était pas le petit d'un âne, tu sais, pas du tout. J'ai demandé au professeur de théologie.

Un temps.

MONSIEUR ROONEY. — Il devrait savoir, lui.

MADAME ROONEY. — Oui, c'était un bardot, il est entré à Jérusalem — c'était bien Jérusalem ? — sur le dos d'un bardot. (*Un temps.*) Ça doit signifier quelque chose. C'est comme les passereaux, que beaucoup desquels nous valons plus. Ce n'était pas des passereaux du tout.

MONSIEUR ROONEY. — Que beaucoup desquels !... Tu exagères, Maddy.

MADAME ROONEY (*émue*). — Ce n'était pas des passereaux du tout !

MONSIEUR ROONEY. — Ça fait monter notre prix ?

Silence. Ils repartent. Vent et pluie. Pas traînants. Ils s'arrêtent.

MADAME ROONEY. — Tu veux du fumier ? (*Un temps. Ils repartent. Vent et pluie. Pas traînants, etc. Ils s'arrêtent.*) Pourquoi tu t'arrêtes ? Tu veux parler ?

MONSIEUR ROONEY. — Non.

MADAME ROONEY. — Alors pourquoi tu t'arrêtes ?

MONSIEUR ROONEY. — C'est plus facile.

MADAME ROONEY. — Tu es très mouillé ?

MONSIEUR ROONEY. — Jusqu'au trognon.

MADAME ROONEY. — Trognon ?

MONSIEUR ROONEY. — Origine celtique.

MADAME ROONEY. — Nous mettrons nos vêtements à sécher et nous passerons nos douillettes. (*Un temps.*) Mets ton bras autour de moi. (*Un temps.*) Sois gentil avec moi, Dan ! (*Un temps. Reconnaissante.*) Ah Dan ! (*Ils repartent. Vent et pluie. Pas traînants, etc. Faiblement, la musique du début. Ils s'arrêtent. Musique plus fort, dans le silence. La musique meurt.*) Toute la journée le même vieil air. Toute seule dans cette ruine. Pauvre femme ! Elle doit être vieille comme le monde maintenant.

MONSIEUR ROONEY (*d'une voix étouffée*). — La Mort et la Jeune Fille.

Silence.

MADAME ROONEY. — Tu pleures ? (*Un temps.*) Est-ce que tu pleures ?

MONSIEUR ROONEY (*avec violence*). — Oui ! (*Ils repartent. Vent et pluie. Pas traînants, etc. Ils s'arrêtent. Ils repartent. Vent et pluie. Pas traînants, etc. Ils s'arrêtent.*) Qui prêche demain ? Le vieux ?

MADAME ROONEY. — Non.

MONSIEUR ROONEY. — Dieu soit loué ! Qui ?

MADAME ROONEY. — Hardy.

MONSIEUR ROONEY. — « Le Moyen d'être Heureux quoique Marié ? »

MONSIEUR ROONEY. — Mais non, il est mort, tu te rappelles. Aucun rapport.

MONSIEUR ROONEY. — On a annoncé le texte ?

MADAME ROONEY. — « L'Eternel soutient tous ceux qui tombent. Et il redresse tous ceux qui sont courbés. » *Silence. Ils éclatent ensemble d'un rire sauvage. Ils repartent. Vent et pluie. Pas traînants, etc.*) Serre-moi plus fort ! (*Un temps.*) Ah oui !

Ils s'arrêtent.

MONSIEUR ROONEY. — J'entends quelque chose derrière nous.

Un temps.

MADAME ROONEY. — On dirait Jerry. (*Un temps.*) C'est lui.

Bruit des pas de Jerry qui arrive en courant. Il s'arrête auprès d'eux.

JERRY (*haletant*). — Vous avez laissé —

MADAME ROONEY. — Prends ton temps, mon petit bonhomme, ton petit cœur va péter.

JERRY (*haletant*). — Vous avez laissé tomber quelque chose, m'sieur, monsieur Barrell m'a dit de vous courir après.

MADAME ROONEY. — Montre. (*Elle prend l'objet.*) Qu'est-ce que c'est ? (*Elle l'examine.*) Quelle est cette chose, Dan ?

MONSIEUR ROONEY. — Ce n'est peut-être pas à moi.

JERRY. — Monsieur Barrell a dit que si, m'sieur.

MADAME ROONEY. — On dirait comme une petite balle. (*Un temps.*) Et cependant ce n'est pas une balle.

MONSIEUR ROONEY. — Donne-moi ça.

MADAME ROONEY (*lui donnant l'objet*). Qu'est-ce que c'est, Dan ?

MONSIEUR ROONEY. — C'est une chose que je garde sur moi.

MADAME ROONEY. — Oui, mais qu'est-ce —

MONSIEUR ROONEY (*avec violence*). — C'est une chose que je garde sur moi !

Silence. Mme Rooney cherche un penny.

MADAME ROONEY. — Je n'ai pas de petite monnaie. Tu en as, toi ?

MONSIEUR ROONEY. — Je n'en ai d'aucune sorte.

MADAME ROONEY. — Nous sommes à court de monnaie, Jerry. Rappelle à monsieur Rooney lundi qu'il doit te donner un penny pour ta peine.

JERRY. — Oui m'dame.

MONSIEUR ROONEY. — Si je vis encore.

JERRY. — Oui m'sieur.

Jerry se sauve en courant vers la gare.

MADAME ROONEY. — Jerry ! (*Jerry s'arrête.*) Tu sais ce qui s'est passé ? (*Un temps.*) Tu sais pourquoi le train est arrivé en retard ?

MONSIEUR ROONEY. — Comment veux-tu qu'il le sache ? Viens.

MADAME ROONEY. — Qu'est-ce que c'était, Jerry ?

JERRY. — C'était un

MONSIEUR ROONEY. — Laisse-le tranquille, il ne sait rien. Viens.

MADAME ROONEY. — Qu'est-ce que c'était, Jerry ?

JERRY. — C'était un petit enfant, m'dame.

M. Rooney gémit.

MADAME ROONEY. — Qu'est-ce que tu veux dire, un petit enfant ?

JERRY. — Un petit enfant qui est tombé du train, m'dame. (*Un temps.*) Sur la voie, m'dame. (*Un temps.*) Sous les roues m'dame.

Silence. Jerry se sauve. Ses pas s'éloignent. Tempête de vent et de pluie. Elle s'apaise. Ils repartent. Pas traînants, etc. Ils s'arrêtent. Tempête de vent et de pluie.

CET OUVRAGE A ÉTÉ ACHEVÉ
D'IMPRIMER LE CINQ MAI
MIL NEUF CENT QUATRE VINGT-SIX
SUR LES PRESSES DE L'IMPRIMERIE
DE LA MANUTENTION A MAYENNE
ET INSCRIT SUR LES REGISTRES
DE L'ÉDITEUR SOUS LE NUMÉRO 2142

Dépôt légal : mai 1986